LA GRANDE IMAGERIE

L'AUTOMOBILE

Conception
Émilie BEAUMONT

Texte
Agnès VANDEWIELE

Illustrations
Pascal LAHEURTE
LINDEN ARTISTS

FLEURUS

FLEURUS ÉDITIONS, 15-27, rue Moussorgski, 75018 PARIS
www.fleuruseditions.com

LES PREMIÈRES VOITURES

Les premières voitures automobiles équipées d'un moteur à essence et utilisées par des particuliers sont apparues il y a un peu plus d'un siècle. Bien avant, on avait essayé de remplacer la voiture à cheval par une voiture à moteur, mais le mécanisme à vapeur était très lourd. En 1876, l'invention du moteur à essence à 4 temps par l'ingénieur allemand Otto marqua un progrès décisif. Entre 1880 et 1890, deux autres Allemands, Daimler et Benz, fabriquèrent des voitures à essence pour le public.

La diligence de Trevithick

Datant de 1803, c'était une sorte de coche équipé à l'arrière d'une chaudière à vapeur. Elle pouvait transporter 9 passagers, à la vitesse de 13 km/h environ.

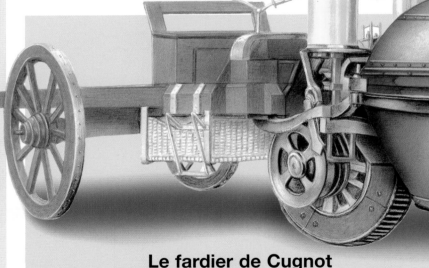

Le fardier de Cugnot

C'est le premier véhicule motorisé à avoir roulé sur une route ! Mis au point en 1770 par l'ingénieur français Nicolas Cugnot, le fardier était conçu pour tirer les gros canons de l'armée. Une grosse chaudière en cuivre envoyait la vapeur dans 2 pistons situés sur la roue avant. Ce véhicule à vapeur n'avait ni frein ni embrayage. Une fois lancé, rien ne pouvait l'arrêter. C'est ainsi qu'il entra dans un mur, ce qui mit fin à sa carrière !

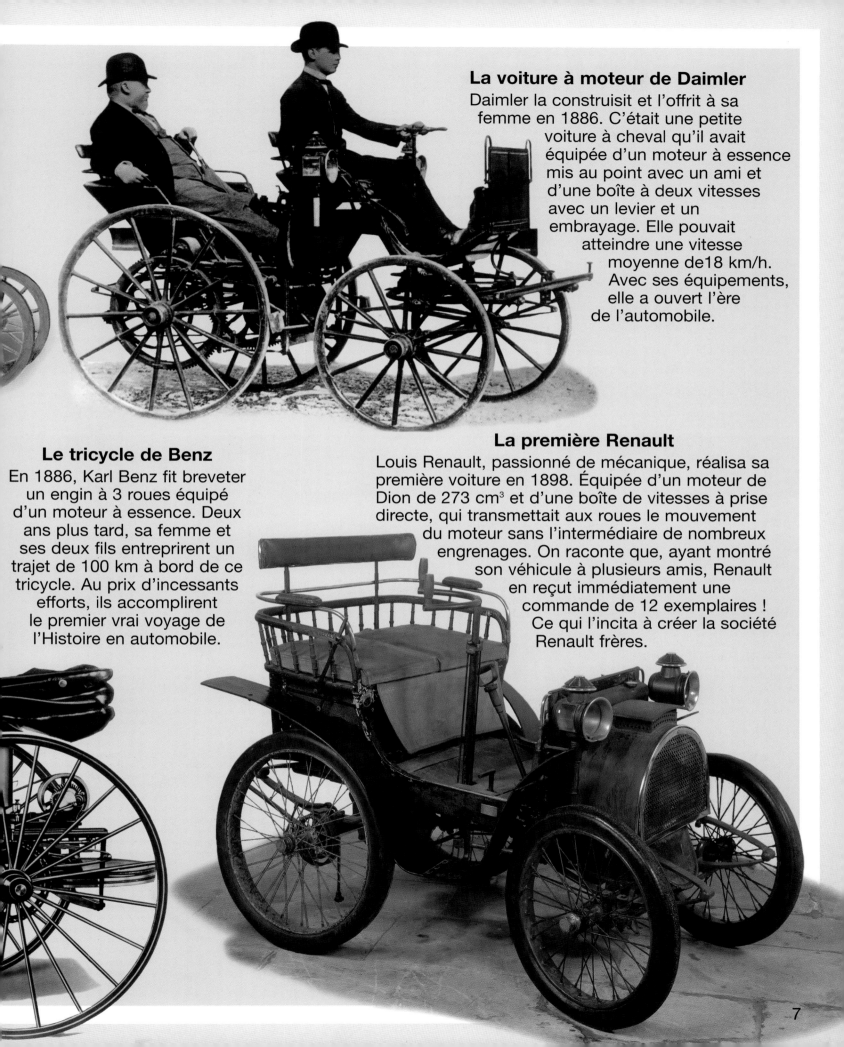

La voiture à moteur de Daimler

Daimler la construisit et l'offrit à sa femme en 1886. C'était une petite voiture à cheval qu'il avait équipée d'un moteur à essence mis au point avec un ami et d'une boîte à deux vitesses avec un levier et un embrayage. Elle pouvait atteindre une vitesse moyenne de 18 km/h. Avec ses équipements, elle a ouvert l'ère de l'automobile.

Le tricycle de Benz

En 1886, Karl Benz fit breveter un engin à 3 roues équipé d'un moteur à essence. Deux ans plus tard, sa femme et ses deux fils entreprirent un trajet de 100 km à bord de ce tricycle. Au prix d'incessants efforts, ils accomplirent le premier vrai voyage de l'Histoire en automobile.

La première Renault

Louis Renault, passionné de mécanique, réalisa sa première voiture en 1898. Équipée d'un moteur de Dion de 273 cm³ et d'une boîte de vitesses à prise directe, qui transmettait aux roues le mouvement du moteur sans l'intermédiaire de nombreux engrenages. On raconte que, ayant montré son véhicule à plusieurs amis, Renault en reçut immédiatement une commande de 12 exemplaires ! Ce qui l'incita à créer la société Renault frères.

LE XXᵉ SIÈCLE

Après la Première Guerre mondiale, l'automobile produite en grande série s'adresse peu à peu à un public plus large. Dans les années 1930, le tourisme automobile s'étend. Aux États-Unis, des milliers de familles s'endettent pour acheter une voiture. Après la Seconde Guerre mondiale, des petites voitures comme la quatre-chevaux Renault et la deux-chevaux Citroën succèdent aux grosses berlines. Dans les années 1950, on fabrique des modèles très bon marché qui se vendent par milliers. Depuis la crise pétrolière de 1973, on produit des voitures plus économiques.

La Fiat 500

Sortie en 1948, son petit moteur à 4 cylindres était monté en bout de châssis, à l'avant, ce qui faisait gagner de la place. Surnommée « Topolino » (*petite souris* en italien) pour sa taille et son aspect sympathique, cette voiture à 2 places fut une grande réussite. 3 392 941 exemplaires produits.

La Peugeot 203

Sortie en 1949, cette voiture à la proue effilée caractéristique séduisit par son confort et sa finition. Elle disposait d'un système de chauffage-dégivrage très efficace pour l'époque et d'un toit ouvrant. Avec une puissance de 42 chevaux, elle pouvait dépasser 115 km/h.

La Ford T

Née le 1ᵉʳ octobre 1908, la Ford T fut la première voiture construite en série sur chaîne de montage. Ce modèle, robuste et facile à conduire, fut vendu à 15 millions d'exemplaires entre 1908 et 1927. En 1999, elle a été élue voiture du siècle.

La Coccinelle

C'est la voiture la plus vendue de toute l'histoire de l'automobile : plus de 21 000 000 d'exemplaires. Volkswagen la lança en Allemagne en 1938. Elle était robuste, fiable et économique. Elle connut un succès mondial et devint même l'héroïne de films et de bandes dessinées.

La Traction avant

En 1934, Citroën présentait une automobile révolutionnaire : la Traction avant sept chevaux. À la différence des autres voitures, dont le moteur à l'avant transmettait le mouvement aux roues arrière, pour ce modèle, c'étaient les roues avant qui étaient entraînées par le moteur.

La deux-chevaux (2 CV)

Présentée pour la première fois au Salon de l'auto de 1948, la deux-chevaux Citroën surprit par sa forme. Cette voiture décapotable à 4 places avait, grâce à sa suspension très souple, une tenue de route exceptionnelle. Pratique et d'un prix modique, elle devint la voiture accessible à tous.

La DS 19

Citroën créa ce premier modèle aux lignes originales en 1955. Sa suspension hydropneumatique sur les 4 roues lui donnait une assise souple et parfaite. En 20 ans, elle a été vendue à 1,5 million d'exemplaires.

La Range Rover

En 1970, la firme anglaise Rover lançait la Range Rover, robuste et tout-terrain, véhicule à 4 roues motrices avec une bonne suspension, ayant les qualités d'une routière confortable et performante. Elle est rapidement devenue un modèle de référence sur le marché des 4 x 4.

L'Austin Mini

Lancée en Angleterre en 1959, l'Austin Mini innovait par son moteur transversal. C'est une des rares voitures a être fabriquée pendant 40 ans sans prendre une ride. La nouvelle Mini est lancée par BMW.

La Golf

Volkswagen lançait en 1974 un nouveau modèle : la Golf. Cette traction avant compacte connut un énorme succès. En 2 ans, il s'en est vendu environ 1 million ! Comme cette petite voiture fiable et économique a du succès, Volkswagen en sort régulièrement de nouvelles versions.

La Carina

Dans les années 1960, Toyota partit à la conquête des marchés américain et européen, comme les deux autres grands constructeurs japonais Nissan et Honda. En 1982, la troisième génération de Carina sortit.

Le Renault Espace

Avec l'Espace, sorti en 1984, Renault et Matra ont lancé en Europe la vogue des monospaces. Le succès fut immédiat. Cette voiture spacieuse et familiale, à l'aménagement intérieur modulable, continue de séduire le public.

La Capri

En 1969, la filiale européenne de Ford sortit la Ford Capri, un coupé inspiré du coupé Mustang américain. Ford proposait ainsi une série de modèles à l'allure américaine, mais adaptés aux goûts européens.

La Twingo

En 1993, Renault a créé cette petite voiture originale et pratique. Petite à l'extérieur mais spacieuse à l'intérieur.

TENDANCES ACTUELLES

Dans l'abondance des voitures récentes, on trouve des modèles classiques, mais aussi de tout nouveaux types de véhicules, comme les crossover. On combine des breaks avec des monospaces ou des 4 x 4. En raison de leur succès, les citadines, les berlines compactes et les 4 x 4 se multiplient et se diversifient sans cesse. Chaque modèle existe en plusieurs versions, avec un grand choix d'équipements. Les constructeurs rivalisent d'imagination pour adapter les voitures au monde moderne.

La Citroën C3 Pluriel combine plusieurs véhicules. On appuie sur un bouton et le toit bascule dans le coffre : la berline se métamorphose en cabriolet. On retire les arches soutenant le toit : elle devient spider. On rabat les sièges arrière : elle est pick up.

Les citadines sont des petites voitures, pratiques et économiques, faites pour circuler en ville et se garer facilement. Leur longueur ne dépasse pas 3,5 m, et l'intérieur est aussi spacieux que possible. En plein essor, il en existe de nombreux modèles : monospaces, coupés cabriolets, minicars, 3, 4 ou 5 portes.

La Peugeot 1 007, citadine à 4 places, innove avec ses 2 portes électriques coulissantes. L'avantage : on se gare sur les places de parking étroites sans être gêné pour monter et descendre de voiture. L'ouverture électrique se fait de l'intérieur ou avec une télécommande.

Robuste et sportive, la Suzuki Swift peut accueillir 4 à 5 personnes selon la version. Sa banquette arrière se replie complètement, permettant de charger des objets volumineux. Pour la sécurité de ses occupants et des piétons, en cas d'accident, de nombreuses parties de la carrosserie sont déformables.

Les berlines ont toujours 4 portes et un coffre. Compactes pour la ville (4 à 4,3 m), familiales pour parents et enfants (4,3 à 4,6 m) ou grandes routières pour les longs voyages (4,6 à 4,9 m environ), leur taille définit leur usage.

La Golf Plus est une berline compacte. Son habitacle bénéficie d'une grande surface vitrée, la banquette arrière peut avancer pour augmenter le volume du coffre.

La BMW M6 est un coupé au toit en carbone.

Les coupés sont des voitures fermées par un toit et offrant 2 ou 4 places. Il n'y a que 2 portes, les stylistes peuvent donc donner à la carrosserie une forme effilée et élégante. Les amateurs de voitures sportives apprécient beaucoup les coupés. Aussi, tous les grands constructeurs présentent dans leurs gammes des versions coupées, dérivées de leurs modèles de berlines.

Les cabriolets sont des voitures décapotables conçues pour le plaisir de rouler à l'air libre. Parfois, la capote repliable est renforcée par un toit rigide amovible appelé « hard top ». Certains modèles proposent des toits rigides rétractables qui se rangent dans le coffre.

L'Audi A4 offre 4 vraies places. Une trappe à skis permet d'emporter jusqu'à 3 paires de skis ou 2 snow-boards. Son moteur V6 (V8 en option) et ses équipements de grande qualité en font un vrai véhicule haut de gamme.

Le cabriolet Mini a une capote en toile qui se replie par commande électrique. On peut aussi ne rabattre la capote qu'en partie.

11

Les monospaces ont succédé au premier Renault Espace créé en 1984. Le succès de ce type de véhicule familial et pratique ne faiblit pas. L'intérieur surélevé et spacieux s'aménage à volonté pour le confort des passagers ou le transport d'objets encombrants. Le siège avant du passager pivote, et les sièges arrière sont amovibles. On trouve parmi eux des modèles classiques comme l'Espace IV de Renault et le Peugeot 807, ou des modèles compacts comme le Scenic de Renault, la Classe B de Mercedes ou le Picasso de Citroën.

Le Renault Espace IV est la 4ᵉ génération de ce monospace. Il existe en version normale (4,64 m), ou longue (4,86 m) pour transporter 7 passagers dans un grand confort. Les larges fenêtres permettent de profiter pleinement du paysage.

Les breaks sont dérivés des berlines. Plus longs que celles-ci, ils permettent de transporter à l'arrière des objets volumineux et encombrants. Pour cela, la 5ᵉ porte, ou hayon, s'ouvre à l'arrière sur un large espace, qu'on peut encore agrandir en rabattant le dossier des sièges arrière. Leurs coffres, d'une grande capacité, sont de plus en plus appréciés.

La Classe B de Mercedes.

L'Opel Astra break mesure 4,52 m de long (soit 27 cm de plus que la berline Astra). Son grand coffre est très pratique.

Le 9-3 Sport-Hatch de Saab est un élégant break suédois. Il a la particularité de n'être pas plus long que la berline dont il dérive. Il est très utilisé pour les loisirs. Une fois le dossier du siège passager rabattu, on peut loger des objets longs de 2,65 m. Par ailleurs, on trouve sous le plancher du coffre un espace de rangement supplémentaire.

Les 4 x 4 sont des véhicules à 4 roues motrices, à la carrosserie solide et à la position de conduite haute. Ils sont de plus en plus en vogue : compacts ou luxueux pour la ville, rustiques pour la campagne. Ils sont adaptés aux terrains accidentés, peuvent rouler sur le sable des déserts et même franchir des gués.

La Porsche Cayenne est un véhicule tout-terrain pour les grands voyages. Elle combine le luxe et les qualités sportives caractéristiques de Porsche. La suspension pneumatique permet d'élever ou d'abaisser la voiture à volonté.

La Toyota RAV4 est un petit tout-terrain à 3 ou 5 portes qui circule aussi bien en ville qu'à la campagne ou en montagne. Maniable, puissant, ce 4 x 4 est aussi facile à conduire sur route que sur autoroute.

Les crossover sont un mélange de 4 x 4, de break et de monospace. Venus des États-Unis, ces nouveaux véhicules s'adressent à des clients qui désirent une voiture à usages multiples : pour transporter des objets encombrants (fonction break), aménager l'espace intérieur selon les besoins avec des sièges individuels (fonction monospace), et rouler sur des terrains accidentés pendant le week-end ou les vacances (fonction 4 x 4).

Lancé en 2005 aux États-Unis, ce Mercedes Classe R est un crossover de 5,15 m de long. C'est un véhicule idéal pour la montagne. Dans un confortable habitacle de luxe, il peut transporter 6 passagers.

Le pick-up est un véhicule en partie ouvert. À l'arrière, le plateau de chargement n'est pas recouvert et est délimité par des bords appelés « ridelles ». Très en vogue aux États-Unis, au Mexique, au Brésil et en Argentine, il permet de transporter meubles, machines, outils, bidons, planches de surf, et même animaux !

Le F-150 de Ford est le véhicule le plus vendu aux États-Unis, toutes catégories de voitures confondues.

LES BERLINES DE LUXE

Les berlines de luxe se distinguent par des carrosseries élégantes et racées, un intérieur raffiné garni de cuir et de bois précieux. Leur moteur, à essence ou Diesel, est puissant mais bridé à 250 km/h pour des raisons de sécurité. Selon les modèles, elles offrent, souvent en option, les dernières innovations technologiques en matière de confort, de sécurité, de communication et de divertissement. De célèbres marques anglaises et allemandes dominent ce secteur.

Audi

Ce constructeur allemand est connu pour ses automobiles haut de gamme. En 1982, il a innové en sortant sa première voiture en aluminium. Moins lourde que les modèles en acier, elle est plus maniable et consomme moins.

Dans la version la plus luxueuse de l'A8, on dispose de sièges chauffants, d'un réfrigérateur et d'écrans logés dans les appuis-tête des sièges avant.

Maserati

La nouvelle Quattroporte perpétue la tradition de cette grande marque italienne fondée en 1914. Dotée d'un moteur Ferrari V8 400 CV, l'équilibre et la stabilité des masses réparties entre l'avant et l'arrière lui procurent un comportement sur route d'une qualité exceptionnelle. Grâce à sa transmission à 6 vitesses, le changement de vitesse est souple et fluide, et la réponse du véhicule rapide.

La Rolls Royce Phantom est adaptée aux grands voyages et aux représentations mondaines ou officielles.

La nouvelle Quattroporte est dessinée par le designer italien Pininfarina. Chaque modèle est testé par un expert sur 100 km avant d'être livré.

BMW

Cette marque allemande offre un système innovant de commande : l'iDrive. Il suffit de manipuler un bouton situé sur la console centrale pour faire apparaître sur un écran les fonctions de navigation, communication, climatisation ou divertissement.

Des freins très performants réduisent la distance de freinage. Les phares au xénon sont 2 à 3 fois plus lumineux que les traditionnels phares à l'halogène.

Jaguar

La XJ, modèle emblématique de cette marque britannique fondée en 1922, innove par sa structure allégée, tout en aluminium. Très maniable, sa suspension avant isole la carrosserie des bruits et vibrations de la route, rendant la conduite silencieuse, souple et confortable. Le conducteur peut piloter téléphone, systèmes audio et de navigation à l'aide de commandes vocales.

Rolls Royce

En 1906, Henry Royce et Charles Rolls s'associent et créent leur première voiture, la Silver Ghost, surnommée la « meilleure voiture du monde ». Aujourd'hui encore, la marque reste fidèle aux valeurs de perfection des fondateurs, tant pour la mécanique que pour l'esthétique et le confort.

Mercedes

Créé en 1901, Mercedes ne cesse d'enrichir ses modèles des plus récentes innovations, particulièrement dans le domaine de la sécurité.

La Classe S, sortie en 2005, est un chef-d'œuvre de perfectionnements technologiques : par exemple, afin de prévenir les collisions avec le véhicule précédent, un système muni de capteurs relève les vitesses des 2 véhicules et freine si nécessaire.

LES VOITURES DE SPORT

Ces voitures sont conçues pour le plaisir de conduire vite. Dès 1910, l'une des premières atteignait déjà 120 km/h. Vers 1925, les voitures de sport sont équipées de moteurs suralimentés. Dans les années 1950, elles rendent célèbres Maserati, Alfa Romeo et Ferrari. Dans les années 1960, les Allemands sortent la première Porsche 356. Le cabriolet anglais Jaguar XK frôle alors les 200 km/h. Les grandes marques s'affirment sur les circuits de Formule 1, puis produisent des voitures de série.

La Clio V6

Des constructeurs généralistes comme Renault produisent aussi des modèles sportifs. C'est le cas de la Clio V6 sortie en 2003 et dotée d'un moteur 6 cylindres en V, dont la puissance de 255 CV permet de belles accélérations et reprises. C'est une vraie sportive avec ses grosses prises d'air latérales, sa double sortie d'échappement et son châssis abaissé. À l'intérieur, l'ambiance est chic et confortable, les sièges ont une allure sportive et les finitions sont en aluminium.

La Murciélago de Lamborghini

Fondée en 1963, cette marque italienne, appartenant maintenant au groupe Volkswagen, est réputée pour ses modèles sportifs spectaculaires. Avec son moteur qui passe en moins de 4 s de 0 à 100 km/h, la Murciélago est un bolide pouvant se déchaîner sur circuit pour atteindre la vitesse étonnante de 330 km/h. Comme pour ses aînées, ses portes s'ouvrent en élytres (en se soulevant vers le haut). Ses prises d'air sur les côtés évoquent des oreilles de chauve-souris. En espagnol, *murciélago* signifie « chauve-souris » !

La Saleen S7

Ce petit constructeur californien produit des sportives destinées à la route et à la compétition. La Saleen S7 est une supersportive dont les portes s'ouvrent en se soulevant vers le haut. La dernière version de la Saleen S7

La Porsche Cayman S

Ce superbe coupé tire tous les avantages des deux modèles précédents : il a le châssis de la Boxster, et le moteur de la 911. Sa silhouette est fidèle au style Porsche. Le moteur est caché sous le coffre arrière. Il y a aussi un coffre sous le capot, à l'avant. À partir de 120 km/h, un petit aileron sort automatiquement à l'arrière pour stabiliser la voiture.

La Ferrari 575 M Superamerica

La 575 Maranello sortie en 1996 est un magnifique coupé deux portes qui connaît un grand succès. Son moteur se situe à l'avant. Le toit de la Superamerica est une ingénieuse innovation : fait d'un verre spécial, il s'obscurcit selon l'intensité de la lumière ; monté sur des charnières pivotantes, il bascule à l'arrière pour transformer la voiture en cabriolet.

L'Aston Martin DB9

La première Aston Martin apparaît en 1913, lorsque Lionel Martin et Robert Bamford décident de lancer des voitures à caractère sportif. Leurs modèles participent à des compétitions comme les 24 Heures du Mans. La DB9 a inspiré la DBR9, qui court en catégorie « grand tourisme ». La souplesse de son puissant moteur V12 permet aussi bien une conduite aisée en ville qu'un déchaînement vrombissant de ses 450 CV sur route.

twin turbo est une des voitures de sport les plus rapides du monde (320 km/h sur circuit). Sa bonne tenue de route en fait aussi une superbe routière, maniable et plaisante à conduire.

LES RECORDS

Avec les premières voitures à moteur commence une folle course aux records de vitesse. Elle débute en 1898. Les 100 km/h sont franchis l'année suivante. Les 1 000 km/h sont atteints en 1970. S'ouvre alors l'ère des bolides ressemblant à des fusées et équipés de réacteurs d'avion. Thrust II atteint 1 019,44 km/h en 1983, Thrust SSC passe le mur du son en 1997. Aujourd'hui, avec la lutte contre la pollution, on vise des records de vitesse et de consommation minimale obtenus par des véhicules propres, équipés, par exemple, de moteurs à hydrogène.

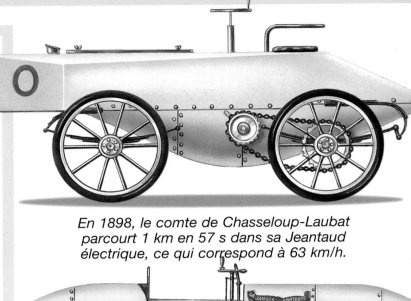

En 1898, le comte de Chasseloup-Laubat parcourt 1 km en 57 s dans sa Jeantaud électrique, ce qui correspond à 63 km/h.

En 1899, Camille Jenatzy atteint la vitesse de 105,88 km/h à bord de sa Jamais-Contente, *propulsée par un moteur électrique.*

Les voitures à réacteur

Dans les années 1960, on abandonne le moteur à pistons au profit du réacteur d'avion. La Bluebird, ci-dessus, bat le record du monde avec une vitesse de 648,7 km/h en 1964. L'aileron de la queue la maintient en ligne droite.

Le retour de la vapeur

La voiture à vapeur entre à nouveau dans la course aux records avec la WaterThunder. Ce bolide, ci-dessous, propulsé par un réacteur de fusée et alimenté par de la vapeur sous pression, bat le record de vitesse de l'automobile à vapeur en 1992, atteignant les 343,5 km/h.

Thrust SSC

En 1997, le pilote de chasse Andy Green bat le record de vitesse sur terre en atteignant 1 227,985 km/h, et franchit ainsi le mur du son. Avec ses 2 moteurs à réaction, Thrust SSC développe la puissance de 150 moteurs de F1 réunis. C'est le véhicule le plus puissant jamais construit.

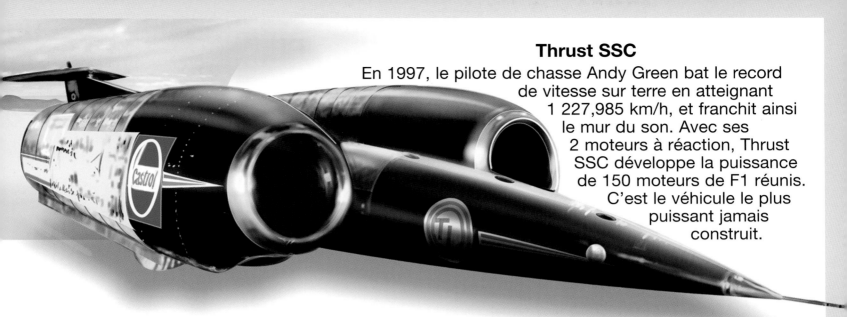

Record de vitesse à l'hydrogène

Le constructeur allemand BMW a mis au point le H2R, propulsé par un moteur à hydrogène basé sur le moteur à essence de la BMW 760i. Ce moteur de 285 CV a permis d'établir 9 records, dont celui du kilomètre lancé, juste au-dessus de 300 km/h. Cet engin fait partie d'un programme destiné à étudier les moteurs fonctionnant à l'hydrogène.

La plus faible consommation

Chaque année, la compagnie pétrolière Shell organise l'Éco-marathon. C'est une compétition destinée à récompenser le véhicule ayant la consommation de carburant la plus économique. En 2005, un drôle d'engin appelé « Pac-Car II », propulsé par une pile à combustible, a parcouru 25,3 km avec 1,75 g d'hydrogène. Cela correspond à une consommation de 1 l d'essence seulement pour parcourir 3 836 km !

LA FORMULE 1

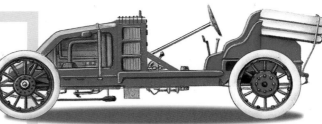

Cette Renault remporta le Grand Prix de l'Automobile-Club de France en 1906, avec une moyenne de 101 km/h.

Avant la création de circuits spéciaux, les compétitions automobiles se couraient de ville en ville. De nos jours, les plus célèbres épreuves sont les Grands Prix de Formule 1. La F1 est un sport dangereux malgré les progrès faits pour augmenter la sécurité. Presque allongé dans son cockpit, le pilote n'a guère de place pour bouger et doit en permanence contrôler son bolide, lancé parfois à plus de 300 km/h. Pour pouvoir freiner à une telle vitesse, il faut des freins hyperpuissants qui permettent à 300 km/h, de s'arrêter en 4 secondes.

La Bugatti 35 fut lancée en 1924 et devint un symbole de la voiture de course.

C'est avec la Maserati 250 F que le célèbre pilote argentin Fangio remporta les deux premières courses qui le menèrent au titre mondial en 1954.

Les réglages

La position du monoplace est réglée en légère inclinaison vers l'avant, ce qui favorise une bonne pénétration dans l'air, c'est-à-dire son aérodynamisme. La suspension est assez rigide. En course, le pilote veille sur les pneus et le moteur.

Le pilotage

L'art du pilotage consiste à tirer le meilleur parti de nombreux facteurs : les capacités et les faiblesses de la voiture, l'état de la piste qui conditionne la conduite, la position des concurrents, etc. Le pilote est en contact radio avec les ingénieurs de l'équipe, restés au stand qui lui donnent les indications nécessaires à une conduite efficace et la stratégie à suivre.

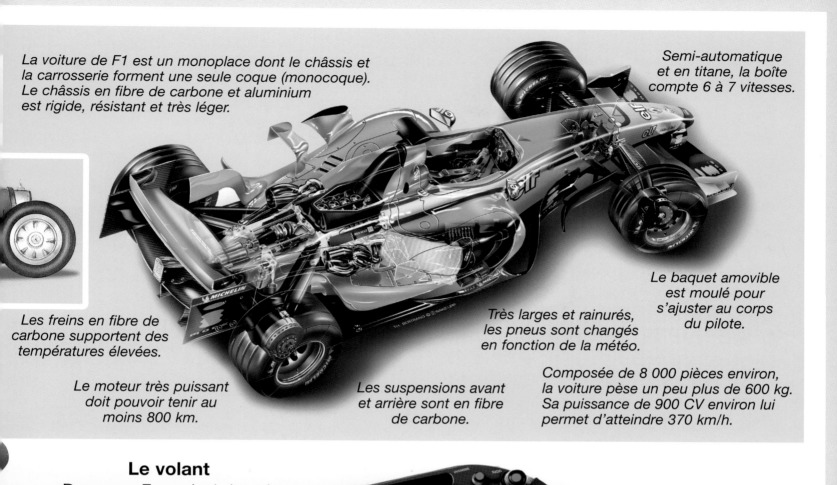

La voiture de F1 est un monoplace dont le châssis et la carrosserie forment une seule coque (monocoque). Le châssis en fibre de carbone et aluminium est rigide, résistant et très léger.

Semi-automatique et en titane, la boîte compte 6 à 7 vitesses.

Le baquet amovible est moulé pour s'ajuster au corps du pilote.

Les freins en fibre de carbone supportent des températures élevées.

Très larges et rainurés, les pneus sont changés en fonction de la météo.

Le moteur très puissant doit pouvoir tenir au moins 800 km.

Les suspensions avant et arrière sont en fibre de carbone.

Composée de 8 000 pièces environ, la voiture pèse un peu plus de 600 kg. Sa puissance de 900 CV environ lui permet d'atteindre 370 km/h.

Le volant

Dans une Formule 1, le volant fait office de tableau de bord. D'un poids de 700 g environ, il rassemble toutes les commandes. En appuyant sur un interrupteur, le pilote y fait défiler toutes les informations dont il a besoin : temps au tour, vitesse, température de l'eau, température de l'huile, etc. Pendant la course, des petites lampes s'allument au fur et à mesure que la vitesse du moteur augmente. Quand la dernière petite lampe s'allume, le pilote doit changer de vitesse.

L'équipement du pilote

Des bottines au casque, toute la tenue est légère et résistante au feu. On fait subir des tests à la voiture pour vérifier sa résistance aux chocs et pour perfectionner son système de sécurité.

LES GRANDS CIRCUITS

Deux célèbres courses sur circuit ont lieu chaque année. En France, la course des 24 Heures du Mans, est la plus grande épreuve d'endurance du monde. C'est aux États-Unis que se déroule la plus importante course de vitesse : les 500 Miles d'Indianapolis (804,5 km). Ils ont été courus pour la première fois en 1911, en moins de 7 heures. Sur la piste ovale, les 4 virages sont à gauche. À la différence des autres courses, les voitures tournent dans le sens inverse des aiguilles d'une montre.

Les 24 Heures du Mans

Depuis 1963, ceux qui réalisent les meilleurs temps aux essais prennent le départ devant leurs concurrents. Sur la grille de départ, la voiture de tête est dite en « pole position ». Pendant la course, les 3 pilotes d'une voiture se relaient : un pilote ne doit pas conduire plus de 4 heures d'affilée. Il s'arrête régulièrement à son stand pour faire le plein, changer les pneus ou certaines pièces, ou passer le volant à son équipier. Les mécaniciens doivent pouvoir changer un pneu en moins de 10 s.

Les records du Mans

Record de vitesse en course : 405 km/h (réalisé par Roger Dorchy en 1988 sur une WM-Peugeot P88). Record du tour : 230,182 km/h de moyenne (réalisé par Tom Kristensen sur l'Audi R8 en 2002). Record de distance : 379 tours, soit 5 173,12 km (réalisé par l'équipage Tom Kristensen, Rinaldo Capello et Seiji Ara sur une Audi R8 en 2004 à 215,418 km/h de moyenne).

Les 500 Miles d'Indianapolis

À l'origine, le circuit ovale était pavé de 3 200 000 briques ; il est maintenant recouvert d'asphalte. Depuis 1911, la course n'a été interrompue que pendant les deux guerres mondiales (en 1917 et 1918, et de 1942 à 1945). Elle fêtera en 2006 sa 90e édition. Les coureurs doivent parcourir 500 miles (804,5 km), soit 200 fois le tour de piste long de 4 km environ. Les virages sont de véritables tests d'adresse pour les pilotes, qui se concentrent afin d'éviter les autres voitures et d'essayer de passer en tête. Des murets de sécurité entourent la piste.

Les records d'Indianapolis

Le tour le plus rapide a été couru à la vitesse de 380 km/h. Le pilote le plus titré est A. J. Foyt, vainqueur 4 fois. Il a participé aux 500 Miles 35 années de suite. Il a parcouru 4 909 fois le tour de la piste, pour un total de 12 272,5 miles (19 746 km), soit 5 fois le voyage de New York à San Francisco.

Porsche grand tourisme

Les voitures du Mans

Les voitures des 24 Heures du Mans sont classées en deux grandes catégories : les « prototypes », légères et rapides et les « grand tourisme ».

Ferrari grand tourisme

Audi prototype

Courage prototype

Les prototypes sont des voitures ouvertes ou fermées appelées « barquettes ». Réservées aux courses, elles ne peuvent pas circuler sur la route. Dans cette catégorie, on trouve les Pescarolo, les Courage, les Dome Mugen, les Audi, les Dallara, les Zytek.

Les « grand tourisme » sont des voitures à carrosserie ouverte ou fermée qui peuvent être commercialisées. Dans cette catégorie, on trouve les Ferrari 550 Maranello et Modena, les Chevrolet Corvette, les Aston Martin, les Porsche, les Spyker.

LES RALLYES

Les voitures homologuées participant au Championnat du monde des rallyes sont des WRC (world rally cars). Ce sont des modèles de grande série que l'on a modifiés pour en faire des véhicules de course. Les constructeurs cherchent sans arrêt à améliorer leurs modèles pour les rendre plus fiables et plus performants. Freins, suspensions, direction, etc., la mécanique est robuste afin d'éviter au maximum les problèmes. Les concurrents doivent choisir les pneus les mieux adaptés au terrain (terre, goudron) et à la météo (sol boueux, fortes pluies).

Créé en 1973, le Championnat du monde des rallyes se déroule en 16 manches, dans différents pays aux climats les plus variés : Suède, Mexique, Argentine, Japon, Australie, France, etc.

Les courses sur glace

Ces courses sont spectaculaires. Lancées à plus de 100 km/h, équipées de pneus cloutés, les voitures font des glissades. Les roues patinent au freinage. Dans les virages, les pilotes se « battent » avec le volant et partent en dérapage contrôlé. Le Trophée Andros, né en 1990, se déroule chaque année sur 6 week-ends. Après une séance d'essai et des manches qualificatives, la finale se joue à Superbesse, en France. C'est une course en pelotons de 14 voitures sur 10 tours.

Le Championnat du monde des rallyes

Les étapes de liaison sur routes de terre ou de goudron alternent avec des étapes spéciales sur tout-terrain. Longues de 400 km environ chacune, ces étapes sont chronométrées au dixième de seconde. Entre chacune d'entre elles, les véhicules sont révisés dans un parc d'assistance. Les pilotes disposent d'une boîte de vitesses et d'un turbo de rechange par jour pour augmenter la puissance du moteur. La longueur d'un rallye varie entre 1 000 et 1 500 km environ.

Pilote et copilote

Pendant la reconnaissance du trajet, le copilote note tous les détails qu'il indique ensuite au pilote pendant la course. Formant une équipe très soudée, pilote et copilote communiquent par radio, au moyen de casques.

Les rallyes tout-terrain

Ce sont des épreuves d'endurance sur de longues distances. Pour affronter les parcours les plus accidentés, les véhicules tout-terrain doivent être robustes, avoir un châssis renforcé et 4 roues motrices. Chaque année se déroule la Coupe du monde des rallyes tout-terrain. Les différentes épreuves ont lieu sur les terrains les plus divers, aux quatre coins du monde. Le Paris-Dakar est le plus célèbre des rallyes-raids. Créé en 1979, il traverse une partie de l'Afrique sur environ 10 000 km, sur des pistes caillouteuses et de hautes dunes de sable, selon un itinéraire différent chaque année.

INNOVATIONS

Aux progrès sur la sécurité (airbags, antiblocage des freins ou ABS, radar anticollision) s'ajoutent les prouesses de la télécommunication : écrans de navigation, téléphones « mains-libres », accès Internet... Les passagers peuvent se distraire grâce à l'installation de la télévision et de jeux vidéo. Les constructeurs imaginent de nouveaux modes de propulsion car en 2030 le nombre de voitures en circulation aura plus que doublé et les carburants à base de pétrole qui rejettent dans l'atmosphère des particules polluantes vont se raréfier.

La Honda FCX est le premier véhicule à hydrogène homologué.

Les véhicules à hydrogène

Les voitures à pile à combustible utilisent l'hydrogène comme carburant. La pile produit de l'électricité, qui entraîne le moteur. Mais l'hydrogène pose de gros problèmes de production, de distribution et de stockage : il nécessite un réservoir 5 à 10 fois plus volumineux que celui d'essence ou de Diesel pour parcourir la même distance. L'avantage, c'est que la pile ne rejette que de l'eau et aucun gaz polluant.

La Prius de Toyota est la première voiture hybride construite en grande série.

Les voitures hybrides

Une voiture hybride est équipée de deux moteurs : un moteur ordinaire (à essence ou Diesel), et un moteur électrique (alimenté par une batterie), qui est économique, silencieux et non polluant. Sur route, par exemple, le conducteur peut choisir de rouler à l'essence. En ville, à vitesse modérée, il peut utiliser le moteur électrique. La technologie hybride est promise à un grand avenir dans les prochaines années.

Les voitures électriques

Elles sont silencieuses et propres, mais leur autonomie est limitée par la charge de la batterie à 300 km.

Il existe **un système d'aide au stationnement**. Des ultrasons émis par le véhicule qui se gare sont renvoyés par les voitures à l'arrêt. Si elles sont trop proches, le conducteur en est informé par des voyants et un signal sonore.

Le dispositif d'alerte de franchissement de ligne prévient le conducteur lorsque sa voiture franchit une ligne blanche grâce à des capteurs infrarouges situés sous le véhicule. L'information est transmise au conducteur par la vibration de son siège.

Un système d'évaluation des distances par radar permet au conducteur de maintenir une distance suffisante par rapport au véhicule qui le précède. Quand l'écart est trop faible, la voiture freine automatiquement.

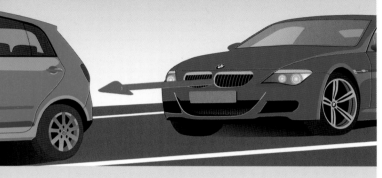

Le système de navigation indique à chaque instant la position exacte de la voiture sur un écran. Le multimédia permet aux passagers de jouer à des jeux vidéo ou de regarder des DVD sur des écrans logés au dos des sièges avant.

Les constructeurs imaginent des modèles aux lignes audacieuses, qu'ils présentent lors des salons automobiles sous le nom de **concept-cars**. Ces modèles ne deviendront pas forcément des voitures de série, mais pourront en inspirer le design.

Réalisée par le designer italien Bertone pour Cadillac, la Villa surprend par le travail du verre et l'ouverture totale des portes glissant vers l'avant et l'arrière.

La Fetish de Venturi est la première voiture de sport de série entièrement électrique.

TABLE DES MATIÈRES

MDS : 272168N1
ISBN : 978-2-215-08456-3
© Groupe FLEURUS, 2006
Dépôt légal à la date de parution.
Conforme à la loi n°49-956 du 16 juillet 1949
sur les publications destinées à la jeunesse.
Imprimé en Italie (05-11)